Impressum

Veronica Sierra - Naughton
British Slang — das andere Englisch
erschienen im
REISE KNOW-HOW Verlag Peter Rump GmbH
Osnabrücker Str. 79, D-33649 Bielefeld
info@reise-know-how.de

© REISE KNOW-HOW Verlag Peter Rump GmbH
10. Auflage 2006
Konzeption, Gliederung, Layout und Umschlagklappen
wurden speziell für die Reihe „Kauderwelsch" entwickelt
und sind urheberrechtlich geschützt.

Bearbeitung	Peter Rump
Layout	Kerstin Belz
Layout-Konzept	Günter Pawlak, FaktorZwo! Bielefeld
Umschlag	Peter Rump, (Titelbild: Hans - Günter Semsek)
Illustrationen	Stefan Theurer
Druck und Bindung	Fuldaer Verlagsanstalt GmbH & Co. KG

ISBN-10: 3-89416-037-3
ISBN-13: 978-3-89416-037-3
Printed in Germany

Dieses Buch ist erhältlich in jeder Buchhandlung der BRD,
Österreichs, der Schweiz und der Benelux. Bitte informieren
Sie Ihren Buchhändler über folgende Bezugsadressen:

BRD	Prolit GmbH, Postfach 9, 35461 Fernwald (Annerod)
	sowie alle Barsortimente
Schweiz	AVA-buch 2000, Postfach 27, CH-8910 Affoltern
Österreich	Mohr Morawa Buchvertrieb GmbH,
	Sulzengasse 2, A-1230 Wien
Belgien & Niederlande	Willems Adventure, Postbus 403, NL-3140 AK Maassluis
direkt	Wer im Buchhandel kein Glück hat, bekommt unsere Bücher

zuzüglich Porto- und Verpackungskosten auch direkt über
unseren Internet-Shop: **www.reise-know-how.de**
Zu diesem Buch ist ein **Tonträger** (Audio-CD/Tonkassette)
erhältlich, ebenfalls in jeder Buchhandlung der BRD, Österreichs, der Schweiz und der Benelux-Staaten.
Der Verlag möchte die **Reihe Kauderwelsch**
weiter ausbauen und **sucht Autoren**!
Mehr Informationen finden Sie auf unserer Internetseite
www.reise-know-how.de/buecher/special/
schreiblust-inhalt.html

Kauderwelsch

Veronica Sierra - Naughton
British Slang
das andere Englisch

REISE KNOW-HOW
im Internet
www.reise-know-how.de
info@reise-know-how.de

*Aktuelle Reisetipps
und Neuigkeiten,
Ergänzungen nach
Redaktionsschluss,
Büchershop und
Sonderangebote
rund ums Reisen*

Kauderwelsch-Slangführer sind anders!

Warum? Sie sind bestens mit der Landessprache vertraut und verstehen trotzdem nur die Hälfte, wenn Sie mit den Menschen vor Ort so richtig ins Gespräch kommen?

Gerade wenn Sie sich in der „Szene" bewegen oder Menschen in ihrem ganz normalen Alltag antreffen, sie auf der Straße ansprechen, mit ihnen ein Bier in der Kneipe trinken, ist deren Sprachgebrauch Meilen entfernt von der offiziell verwendeten Hochsprache in den Medien und den Bildungsinstituten.

Man bedient sich der **lockeren Umgangssprache** und vieler **modischer Slangbegriffe**, die oft nicht einmal die gesamte Bevölkerung versteht, sondern nur bestimmte Altersschichten, eingeschworene Szenemitglieder oder Randgruppen.

Die meisten Slangausdrücke haben eine kurze Lebensdauer und finden nie den Weg in das Lexikon. **Slang ist vergänglich.** Aber es bringt die nötige Würze in das sonst zu dröge daherkommende, in der Hochsprache geführte Gespräch.

Die wahre Vielfalt einer Sprache liegt in diesem lebendigen Mischmasch von Hochsprache, Umgangssprache und Slang. In diesem bunten Mix spiegeln sich **Lebensart, Lebensgefühl** und **Lebensphilosophie** der Menschen vor Ort.

Da die Umgangssprache eher gesprochen als geschrieben wird und es für deren Schreibweise keine festen Regeln gibt, werden Sie immer wieder auf unterschiedliche Schreibweisen der Slangworte stoßen, wenn Sie diese denn einmal geschrieben sehen.

Die AutorInnen werden Sie immer wieder zum Schmunzeln bringen und Ihnen gekonnt Mentalität und Lebensgefühl des jeweiligen Sprachraumes vermitteln. Es werden Wörter, Sätze und Ausdrücke des Alltags aus der Kneipe und dem Arbeitsleben, die Sprache der Szene und der Straße erklärt. Im Anhang sind diese in 1000 Stichworten geordnet, damit Sie die täglich gehörten Begriffe und Wendungen finden können, die bisher kaum in Wörterbüchern aufgeführt sind.

Inhalt

Inhalt

Einführung

Im Gespräch

Anhang

Vorwort

So wie der „American-Slang"-Band der Kauderwelsch-Reihe in den amerikanischen Slang einführt, so soll dieser Band einen kleinen Überblick über die britische Umgangssprache geben.

Er richtet sich an England-Reisende, die über ein Minimum an englischen Sprachkenntnissen verfügen aber nicht regelmäßig Kontakt mit dem britischen Alltag haben oder die sich nicht so lange in Großbritannien aufgehalten haben, dass sie in den „Code" des Umgangsenglisch eingeweiht sind. Wenn man sich nämlich als harmloser Reisender (oder als Neuzugereister) auf englischen Boden begibt, merkt man schnell, dass es eine Vielzahl von Situationen gibt, in denen man mit dem mühsam erlernten Schulenglisch nicht mehr folgen kann: Wenn man Gesprächen im Chippy (da gibt's **Fish & Chips**) oder im Pub an der Ecke lauscht, sich einem erregten Unfallgegner oder Fußballclubanhänger auseinandersetzen muss, wenn man ein Exemplar der Zeitschrift **VIZ** in die Hände bekommt oder auch einem Live-Interview am Fernseher oder Radio folgen will. Es geht hier also um das gesprochene Alltagsenglisch in Großbritannien.

Hinweise zur Benutzung

Diese Wort- und Phrasensammlung könnte man grob in zwei Teile gliedern: Es geht los mit typisch britischen Ausdrücken, die Ihnen in bestimmten Situationen begegnen werden, z. B. im Kaufhaus, im Fernsehen etc. Im zweiten Teil geht es dann um die echte Umgangssprache, ebenfalls grob nach Situationen sortiert. Überschneidungen ließen sich nicht immer vermeiden.

Wissenschaftlich gesehen ist Slang eine „Low-Level-Sprache", die ausschließlich von den unteren sozialen Schichten gesprochen wird, da diesen die „Hochsprache" nicht geläufig ist. Ich verstehe Slang anders, nämlich als die Sprache, die von den Leuten im täglichen Leben gesprochen wird, wenn man nicht auf Etikette achten muss. Da wimmelt es von Spezialausdrücken und „unfeinen" Wörtern. Gerade bei letzteren ist es nötig, genau zu differenzieren. Auch bei uns kann ja z. B. das Wort „Scheißkerl" je nach Situation und angesprochener Person durchaus freundlich oder höchst beleidigend sein. Auch werden sich zwei Männer an der Theke anderer Ausdrücke für Frauen bedienen, als wenn eine Vertreterin des anderen Geschlechts zuhört.

Solange man in einer Gemeinschaft diese Sprache versteht, hat sie auch ihre Berechtigung. Hat man erst einmal die Grundregeln

Kauderwelsch-Tonträger

Falls Sie sich die englischen Sätze und Wörter, die in diesem Buch vorkommen, einmal von einem Engländer gesprochen anhören möchten, können Sie sich zu diesem Buch einen passenden **Tonträger** (Audio-CD / Tonkassette) *besorgen: erhältlich im Buchhandel oder über unseren Internet-Shop:* **www.reise-know-how.de**

verstanden und sich in die Sprache eingehört, fällt es auch nicht mehr so schwer, sein Gegenüber zu verstehen. So wird das ohnehin schon verkürzte **isn't it** zu **in'it** oder **doesn't it** zu **don'it**.

Jetzt kommt ein schwieriger Punkt ins Spiel: Die Aussprache. Diese ist von Region zu Region sehr verschieden. Im Norden könnte Sie in einem Pub jemand fragen: **nuther pint, luv (another pint, love)**, in Schottland könnte Ihnen jemand etwas von seinem „küker" erzählen und seinen **cooker** (Herd) meinen.

Ich habe stets versucht, die deutsche Übersetzung der Ausdrücke auf dem gleichen Sprachlevel zu halten. Trotzdem ist bei der Anwendung Vorsicht geboten. Abwertende Ausdrücke und Beleidigungen sind ohnehin nicht zum Gebrauch, sondern lediglich zum Verstehen aufgeführt. Hierzu auch ein Zitat aus „Das Wörterbuch" von den Gebrüdern Grimm: „Ein Wörterbuch ist nicht dazu da, die Wörter zu verbergen, sondern um sie hervorzubringen."

Im Anhang dieses Buches sind alle Ausdrücke, die vorkommen, noch einmal stichwortartig und alphabetisch geordnet aufgelistet. Die Seitenzahl dahinter gibt an, wo das Wort erwähnt wird und demnach auch die Übersetzung steht. Hört man z. B. den Ausdruck **I'm on cloud nine.**, findet man unter **cloud** die entsprechende Seite.

Auch im offiziellen Rahmen werden Verkürzungen benutzt. So nennen sich zum Beispiel Fast-Food Ketten, die gebackene Kartoffeln verkaufen spuds u like *(das* you *wird zum einfachen* u, *denn nur die Aussprache zählt). In Schottland hieße der gleiche Laden* Tatties u like.

Völlig vulgäre Ausdrücke sind durch ein * gekennzeichnet.

In the pea soup

Das Wetter

In England ist dieses bekannterweise meistens schlecht, daher sind die Ausdrücke für schönes Wetter auch stark unterrepräsentiert.

Messing-Affen-Wetter   **brass monkey weather**
eiskalt

kalt genug, um die Eier   **cold enough to freeze the balls off a brass**
eines Messingaffen   **monkey***
einzufrieren   scheißkalt

it's parky   **to feel a nip in the air**
sehr kaltes Wetter   kühles Wetter

it's raining cats and dogs
es gießt Bindfäden

it's pissing (it) down*   **it's pelting down**
es pisst   es schifft *(prasselt)*

it's chucking (it) down
es schüttet *(schmeißend)*
it's coming down in buckets
es regnet wie aus Eimern
to be soaking wet through
durch und durch nass sein
to be pissed wet through*
durch und durch nass sein

to be wet through	
klatschnass sein	
to be drenched to the skin	
bis auf die Haut nass sein	
it's a scorcher	
knüppelheißer Tag	

red sky at night, shepherds delight
roter Sonnenuntergang verspricht schönes
Wetter

red sky in the morning, shepherds warning
roter Sonnenaufgang verspricht schlechtes
Wetter

brolly (umbrella)	Schirm
wellies (wellingtons)	Gummistiefel
mac (macintosh)	Regenmantel
kagoul	Windjacke

Pay through the nose

Money, money, money

Wer „durch seine Nase zahlt", ist selber schuld, würde der Brite sagen. Ich kann mich dem nur anschließen, ohne dass ich gleich als **stingy** gelten möchte.

lolly	Geld
the folding stuff	Scheine
the green stuff	die Blauen
a tenner	ein Zehner
a score	ein Zwanziger
a fiver	ein Fünfer
a quid	1 Pfund
coppers	1 und 2 Pences
a grand	1000 Pfund
bread, **dough**	Knete
dosh	Asche, Mäuse
brass	Moneten *(Messing)*

Geld hat man — oder nicht. Alles von Pleite bis Reichtum:

to be skint	pleite sein
to be broke	blank sein
to be out of cash	keinen müden Cent haben
to have no change	kein Kleingeld haben
to put money in a kitty	gemeinsam Geld für etwas zur Seite legen

to have loads/tons of money	eine Menge Geld haben
to be rolling in it	viel Geld haben
to be loaded	reich sein
to be stinking rich	stinkreich sein
to club together	zusammenschmeißen
to be filthy rich	mistreich sein
to have more money than sense	mehr Geld als Verstand haben
a gold-digger	geldgieriger Mensch
to be stingy/tight/ tight-fisted	geizig sein
cheapskate/ tight-arse	geizig
to flog	verkaufen
to cash a cheque	Scheck einlösen
to bounce a cheque	Scheck platzen lassen
to pay cash-in-hand	sofort bar zahlen
to pay on the nail	prompt bar zahlen
to pay through the/your nose	zu viel bezahlen
to treat yourself	sich etwas gönnen
to splash out on something	etwas Teures, Unnötiges kaufen
a backhander	Schmiergeld

to run a tap = *in einem Pub die Kreditkarte hinterlegen, um nicht jede Rechnung einzeln zu zahlen*

billig, kitschig

cheap	billig
naff, **tacky**	kitschig
nasty	kitschig, hässlich

Nosh & gobble

Rund ums Essen

Nun, England ist ja nicht gerade berühmt für seine Küche. Und auch in der Umgangssprache bin ich beim Thema Essen nicht besonders fündig geworden.

to grub = graben

to nosh / to grub	mampfen/futtern
to gobble, **to scoff**	hinunterschlingen
to eat like a horse	viel essen
to stuff yourself,	
to stuff your face	sich vollstopfen
to make a pig	
of yourself	sich mästen
gobbler	Vielfraß
veggie	Vegetarier
to be starving	halbverhungert sein
I could eat	Ich könnte
a horse.	ein Pferd essen.
yummy, **scrumptious**	lecker
grub	das Essen
gungy	klebriges Essen
a gobstopper	Riesenbonbon
spuds	Kartoffeln
veg	Gemüse
butty	Butterbrot
colli	Blumenkohl
chippy	Fish & Chips-Laden
bangers & mash	Wurst & Kartoffelbrei
take away	zum Mitnehmen
to be parched	Durst haben

to spud up =
(Kartoffeln) ausgraben

a cuppa	eine Tasse Tee
to make a brew,	
to brew up	Tee kochen
pop	Limonade
corporation pop	Leitungswasser
squash	Fruchtsirup

Let your hair down

Durch Pubs und Nightclubs

In England ist das Mindestalter für **Pubs** 16, Alkohol darf jedoch nur an über 18jährige ausgegeben werden.

Die Öffnungszeiten von Pubs sind unterschiedlich, mit Sicherheit haben sie aber zwischen 18.00 und 23.00 Uhr auf. 10 Minuten bevor der Laden schließt, ruft der Wirt „**Last orders please!**", was heißt, dass jetzt die letzten Runden bestellt werden müssen. Häufig wird auch nur eine Glocke geläutet.

Inzwischen wurde die Sperrstunde deutlich gelockert, so dass besonders in Großstädten die Pubs bis 2 Uhr geöffnet haben können.

Das Mindestalter für den Eintritt in Discos und Nightclubs ist normalerweise 18 Jahre. Clubs, die exklusiver sind, verlangen oft ein Mindestalter von 21 Jahren und mehr. Außerdem ist in vielen Nightclubs und Discos der besseren Klasse das Tragen einer Krawatte Vorschrift. Eine „Gesichtskontrolle" ist sowieso an der Tagesordnung.

Die happy hour ist eine bestimmte Zeit, während der die Getränke billiger sind. Sie variiert von Pub zu Pub, manche haben sie auch gar nicht.

bouncer	Türsteher
boozer	Kneipe
the local	Stammkneipe
pub crawling	Kneipentour
to boogie / bop	tanzen
to freak out	ausflippen
to hit the town	losziehen
to let yourself go,	
to let your hair down	die Sau raus lassen

Outfit

done up like a dog's dinner
sehr fein angezogen sein

to be tarted up
aufgedonnert (herausgeputzt) sein

to be dolled/done up
aufgemotzt sein

keks	Hosen
catsuit	Hosenanzug
boilersuit, **jumpsuit**	Overall/Blaumann
dungarees, **dungies**	Latzhosen
flairs	breite Hosen
bell bottoms	Hosen mit Schlag
drain pipes	Röhrenhosen

pleated trousers	Bundfaltenhosen
grundies/grunts/undies	Unterhosen
to have streaks	Strähnen
in your hair	im Haar haben
perm	Dauerwelle
to have a trim	Haarschnitt kriegen
blow dry	föhnen
bleached hair	gebleichtes Haar
to tint your hair	Haare leicht färben
to dye your hair	Haar färben
split ends	Spliss

Bier

Es reicht auf keinen Fall, einfach nur „ein Bier" zu bestellen, da ist der Brite genauer. Erst einmal muss die Menge geklärt werden:

a pint	1 Glas (in GB 0,56 l)
a half	1/2 pint (= 0,28 l)

bevvy	Bier / alkoholisches Getränk
ale	aus Hopfen und Malz, stärker als Lager
best	„das beste Bier" des Pubs
bitter	enthält viel Hopfen, stärker als Ale
lager	vergleichbar mit unserem „Export"
low alcohol	alkoholarmes Bier (Leichtbier)
stout	dunkles, starkes Bier (z.B. **Guinness**)
White Shield	wie Hefebier, mit Bodensatz, den man nicht trinkt

draught beer	Fassbier
bottled beer	Flaschenbier
canned beer	Dosenbier
tred house	brauereigebundener Pub
free house	unabhängiger Pub
a short measure	nicht vollgeschenktes Bier
gnat's piss*	Scheißbier (-marke)
brewery	Brauerei
to pull a pint	Bier zapfen

saufen

booze, liquor	Alkohol
a spirit	Spirituose
liqueur	Likör
bubbly	Sekt
a short, chaser	ein Hochprozentiger
G & T	Gin Tonic
a snakebite	Apfelsekt und Bier
lager and lime	Bier mit Limonensirup
shandy	Radler, Alster
plonk	billiger Wein

to drink it (down) in one
kippen (in einem Schluck austrinken)

to gulp
hinunterstürzen

to go out on the piss
einen 'drauf machen

This round is on me.
Ich schmeiß 'ne Runde.

This round is on the house.
Ich schmeiß 'ne Lokalrunde.

one for the road
einen auf den Weg

Cheers!	Prost!
Get that down your neck!	
Here's looking at you!	Auf dein Wohl!
Bottom's up!	Ex!
Sup up!	Runter damit!

weitersaufen

to be tipsy / fresh (N-England), **to be tiddly**
einen Schwips haben, angetüdelt sein

to be bollocksed
absturzbereit sein

to be one over the eighth
betrunken sein, einen zuviel gehabt haben

to have had a bucket full
betrunken sein

to be pissed / plastered / rat-arsed / pie-eyed
besoffen sein

to be pissed as a newt
besoffen wie ein Wassermolch

to be out of it
total besoffen sein

to be legless
(beinlos) breit sein

to be paralytic
(gelähmt)
sturzbreit sein

to be well gone
ziemlich angetrunken sein

piss-artist, **pisshead**
Saufkopf, Säufer

He couldn't organize a piss-up in a brewery.
Der ist so dumm, der könnte nicht einmal ein
Besäufnis in einer Brauerei organisieren.

can't handle your drink
Alkohol nicht gut vertragen können

to be smashed *(zerschmettert)*
to be out of one's brains
to be out of one's head
to be out of one's mind
to be out of one's skull

total besoffen sein...

Let your hair down

zu viel gesoffen

to have a hangover	Kater haben
to have the shits	Durchfall haben
I'm poorly.	Mir ist schlecht.
to be ill	krank sein
to be sick	erbrechen/krank sein

to feel under the weather / to feel off colour
sich krank fühlen

to look like death warmed up
schlecht aussehen

to feel/look rough
dreckig/fertig aussehen, sich fertig fühlen

to feel like shit
sich saudreckig fühlen

to look like something the cat brought in
miserabel aussehen, wie ausgekotzt aussehen

to be as white as a sheet
bleich wie ein Leintuch sein

kotzen

to spew your guts up
to throw your guts up
to puke your guts up
to vomit
liquid laughter *(flüssiges Lachen)*
to chunder

24

Spliff & ciggy

Andere Drogen

cig/ciggy/tab	Zigarette
cancer stick	„Krebsstäbchen"
fag	Fluppe
roll up	Selbstgedrehte
skins	Zigarettenpapier
cig-end/butt-end	Kippe
baccy	Tabak
to light a cig,	sich eine anmachen
to spark up	
Crash us a tab.	Hast du 'ne Zigarette?
to smoke like a	qualmen
chimney/trooper	wie ein Schlot
chain smoker	Kettenraucher
pot/gear/blow/	Haschisch,
weed/ganga/gange/	Marihuana
block/dope/herbie/	
grass/hash	
crack/rock/	Crack
freebase	
acid	LSD
coke	Kokain
smack	Heroin
E/ecstacy/	Ecstasy
XTC/eckies	
to fix	fixen
to be hooked	abhängig sein
to skin up	Joint bauen
to smoke a joint	Hasch rauchen
to shoot up coke,	Kokain schnupfen
to snort coke	

to chase the dragon	Heroin spritzen
to be on E's	auf Ecstasy sein
spliff, reefer	Joint
pusher	Dealer

high sein: **to be tripping your nuts off**
to be high as a kite
out of it, spaced out, wiped out
bollocksed, gone, steaming
high, stoned, blitzed, blasted
doped-up, wasted, wrecked
to have the buzz feeling
to be off your face
to be off/away with the pixies
to be on a trip

junkie/druggie	Drogenabhängiger
smackhead	Fixer
spliffhead/pot-head	Kiffer

Flicks or goggle box ?

Kino & Fernsehen

Wenn Sie sich in der Zeitung einen Film aussuchen wollen, finden Sie daneben in Klammern Zahlen, die Ihnen sagen, ab welchem Alter der jeweilige Film geeignet ist. Meistens sind das: 12, 15 und 18 Jahre. In Deutschland bedeuten die Zahlen die Laufzeit des Films in Wochen, also nicht verwechseln! Neben der Altersangabe gibt es noch zwei Buchstabencodes, „PG" und „U". „PG" steht für „parental guidance" und bedeutet, dass der Film einige brutale Stellen enthält, die für Kinder nicht unbedingt geeignet sind. Nichtsdestotrotz sind Kinder und Jugendliche für diese Filme zugelassen, auch ohne Eltern. „U" steht für „universal" und heißt, dass dieser Film für alle Altersgruppen geeignet ist.

Die Briten haben viele Wörter für „Kino": pictures, flicks, pickies, movies.

Kino

preview	Vorschau
trailer	Ausschnitt zur Vorschau
matinee	Nachmittagsvorstellung
a late show	Spätvorstellung

No Sex Please — We're British. Unter diesem Titel entstanden ein Spielfilm und eine Comedy, die nach etlichen Jahren immer noch auf einer Londoner Bühne gespielt wird. Mit

Erfolg! Die Qualität ist vergleichbar mit unseren Lederhosen-Jodel-Filmen aus den 60er und 70er Jahren.

TV

telly/tube/goggle-box
Fernseher

quiz show	Quizsendung
a soap opera	Endlos-Fernsehserie
sitcom	Situationskomödie
variety show	Variété
square eyes	Dauerglotzer
glued to the telly	fernsehsüchtig

Give me a tinkle

Telefonieren

Wer in Großbritannien telefonieren will, dem stehen zwei Sorten von Telefonzellen zur Verfügung: Die herkömmlichen, d.h., man wirft Geld ein und wählt einfach den Teilnehmer an, und die mit **Phonecard.** Eine **Phonecard** sieht wie die Telefonkarte in Deutschland aus, man kann sie bei der Post kaufen.

Sehr praktisch ist, dass man sich in jeder Telefonzelle zurückrufen lassen kann. Die Telefonnummern stehen auf jedem Apparat.

In der Post kann man nicht telefonieren. British Telecom *ist privatisiert und hat nichts mit* Royal Mail *zu tun.*

Give me a buzz!	Ruf mich mal an!
Give me a tinkle!	Ruf mich an!
Give me a ring!	Klingel mal durch!

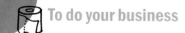

To do your business

Klo & Co.

I'M SORRY, I HAVE TO SPEND A PENNY!

loo/bog	Klo
loo-roll/bog-roll	Klopapier
to do your business	aufs Klo gehen
to spend a penny,	pissen
to take a leak	
to have a shit*	scheißen
to have a crap*	kacken
to have a piss*	pissen
to have a wee/pee	pinkeln
bursting to go	ganz dringend müssen
to shake hands with	pinkeln gehen
the wife's best friend*	

Für artverwandte Bedürfnisse stehen folgende Begriffe zur Auswahl:

to burp/to belch/to kef	rülpsen
to poop	pupsen
to fart*	furzen
to let one out,	einen fahren lassen
to break wind	

To chat and blabber

Die lockere Sprache des Alltags

Hier eine Sammlung allgemeiner, lockerer Ausdrücke. Ich habe versucht, sie so gut wie möglich zu sortieren; Überschneidungen ließen sich aber auch hier nicht immer vermeiden.

verrückt, ausgerastet

crackers
verrückt

to be bonkers / to be a krankie
verrückt sein

to have a screw loose
eine Schraube locker haben

to go bonkers/bananas/nuts
ausflippen, verrückt werden

not all there / off your trolley / off rocker
sie nicht mehr alle haben

to be out of it
nicht ganz dabei sein

to have lost your marbles
nicht alle Tassen im Schrank haben

to be as mad as a hatter
total verrückt sein

31

gone haywire
ausgerastet

mad bastard/basket case/nut-job/nutter
Verrückter, Ausgeflippter

crackpot
exzentrische/ausgeflippte Person

looney bin / nut-house
Irrenanstalt

quasseln, brabbeln usw.

Außer dem bekannten **talk** gibt es noch eine
Vielzahl von Wörtern, die „reden" genauer be-
schreiben.

He's whistling through his navel.
(Er pfeift durch seinen Bauchnabel.)
Er redet Quatsch.

He can talk the hind leg off a donkey.
Er redet unaufhörlich.

to chinwag/chat/gab/yack
schwatzen, quatschen, quasseln

to natter	labern
to mumble	murmeln
to mutter	nuscheln
to whisper	flüstern
to blabber	plappern

to rabbit on
ununterbrochen plappern

chatterbox/motor mouth
Plappermaul / Quasselstrippe

to waffle	brabbeln
to gossip	tratschen
to talk sense	gescheit reden

to talk rubbish/gibberish,
to talk gobbledygook
Unsinn reden

talk out of your arse, **to babble**
Unsinn reden, viel reden

to yap, **to talk through your elbows**
sehr viel reden

to talk in circles
viel reden, aber nichts Gescheites

to beat around the bush
sagen

to talk someone round
jemanden überreden

to talk someone into something
jemanden überzeugen

to talk someone out of s.th.
jemandem etwas ausreden

to sweet talk	Süßholz raspeln
to smooth talk	schmeicheln
to nag	nörgeln
to witter/	jammern,
to whinge	sich beklagen

to spill the beans, to let the cat out of the bag
Geheimnis verplappern

you can't get a word in edgeways
kein Wort dazwischen kriegen können

to send someone to Coventry,
to give s.o. the silent treatment
extra nicht mit jemandem reden

to be economical with the truth
nicht die ganze Wahrheit sagen

to make no bones about s.th.
direkt zur Sache kommen

to get down to the nitty-gritty
zur Sache kommen (unangenehm)

COME ON GET DOWN TO THE NITTY-GRITTY!

begrüßen / verabschieden

Hi!, Hiya!, Greetings!	Hallo!
Howaya?	Wie geht's?
How's things?	Wie schaut's aus?
How's tricks?	
Long time no see!	Lange nicht gesehen!
Hello stranger!	

= How are you?
= How are things?

Haven't seen you in donkeys years!,
Haven't seen you for yonks!
Ewigkeiten nicht mehr gesehen!

Fancy meeting you here!
Du auch hier?

Hold on a sec'!
Hang on (a minute/sec)!
Wart mal 'ne Sekunde!

Wait on!	Wart mal!
Hold your horses!	Nun warte mal eben!
Just a sec/minute!	Moment mal!
Hang about!	
Won't be long!	Wird nicht lange dauern!
See you/ya later!	Bis später!
See you in a (wee) bit!	
See you / ya!	Bis bald!
See you in a tick!	Bis gleich/sofort!

Toodleoo! / Tara! / Cheers! / Bye!
Tschüss!

jemanden besuchen

to drop by/in, **to pop by/in**
to nip in, **to pop round**
reinschauen, vorbeikommen

to look in on someone
schauen, wie es jemandem geht
(meistens alte Leute)

to call round, **to brouse around**
vorbeikommen

to have a rummage
im Laden rumgucken

Ach was!

Wenn man in einem Gespräch seiner Überra-
schung Ausdruck verleihen will, fehlen einem
oft die Worte. Hier eine kleine Auswahl.

Diese Ausdrücke bedeuten im Grunde eigentlich alle „Ach was!".

You're pulling my leg!	Du machst Witze!
You're having me on!	Du nimmst mich auf den Arm!
You must be joking!	Glaub' ich nicht!
You're kidding!	Du scherzt doch!
a wind up	Scherz / jmd. ärgern
Pull the other one!	Erzähl das einem Anderen!
Come off it!	Erzähl doch nichts!
Get away!	Geh doch weg!

You don't say!	Ach sag bloß!
Get real!	Sei ernst!, Red keinen Quatsch!
baloney/cobblers/ codswallop	Quatsch / Unsinn

Keine Ahnung!

I haven't got a clue! No idea!	Keine Ahnung!
It's news to me.	Das wusste ich nicht.
I'm not bothered!	Ist mir egal!
I don't give a shit/damn/toss!	Ist mir doch scheißegal!

Nein!

Nope!	Nein!
By no means! No way! Not by a long chalk!	Auf keinen Fall!
It's not on!	Kommt nicht in Frage!
It's out of the question!	Kommt überhaupt nicht in Frage!
It's unheard of!	Das gibt's nicht!

zustimmen, etwas mögen

Yeap!	Ja!
Too right! / Sure!	Natürlich!, Klar!
straight-up	wirklich, ehrlich!
Bob's your uncle!	Da hast du's!

something tickles your fancy
etwas sehr mögen

to be my cup of tea
genau mein Ding sein

to be your kind of thing
to be right up your alley
genau das richtige für dich

to have a soft spot for s.o./s.th.
eine Schwäche für jem./etw. haben

to fit like a glove
wie angegossen passen

glücklich sein

to be in heaven	im Himmel sein
to be on cloud nine	auf Wolken schweben
to be over the moon	
to be chuffed to bits,	sehr glücklich sein
to be chuffed to pieces,	
to be thrilled to bits,	
to be thrilled to pieces	
to be tickled pink,	überglücklich sein *rosa gekitzelt sein*
to be ecstatic	
I feel great.	Mir geht's saugut.

Super!, Klasse!

a classic	ein unvergessliches Erlebnis
ace	Klasse, voll gut
fab/fabulous	saugut, Klasse, voll gut
brill/brilliant	spitzenmäßig, Klasse, toll
a okay	erste Sahne / Klasse
shit hot	affengeil
a beaut(y)/	toll, super
stunning/groovy	
mind blowing	abgefahren
hunky-dorey	wenn alles gut läuft
okey dokey	okay, alles klar
super/superb	super
smashing	super, sehr gut
great/wicked/	großartig, geil,
splendid	total gut
amazing/	unglaublich, geil, klasse
awesome	

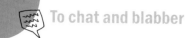

sound	astral, gut
gobsmacking	umwerfend
a killer	zum Schießen, toll
piece of cake / piece of piss	einfach puppig!
to rave about something	von etwas schwärmen

Oft wird vor den Ausdrücken bloody *gesagt. Man muss aber genau auf den Zusammenhang oder den Ton, in dem es gesagt wird, hinhören, denn meistens ist es ironisch gemeint.*

a knock-out / sensational / bloody marvellous, it's a scream, super dooper
großartig

It's the best thing since sliced bread.
It's the cat's whiskers.
Es ist einfach toll.

We had a hell of a good time.
Es ging uns großartig.

It's just what the doctor ordered.
Das ist genau das, was ich brauche.

better than a slap in the face with a wet fish
besser als gar nichts

to have a laugh, **to have a whale of a time**
Spaß haben

to be the bees knees
das Beste vom Besten sein

a sight for sore eyes
die Ansicht von etwas, das gut tut

cool, in

to have street cred	ein cooles Image haben
it's all the rage	in, modisch
to be trendy,	modisch sein,
to be with it	„in" sein
to be in with the crowd	mit der Masse gehen, „in" sein
trendsetter	jemand, der modisch genug ist, um eine neue Mode zu starten
a happening place	ein „In"-Lokal
a happening person	eine Person, die „in" ist

genervt

to be narked off	wütend / genervt sein
to be hacked off	
to be cheesed off	
to be pissed* off	
to be fucked* off	
to be gutted	traurig / enttäuscht
to be as sick as a parrot	traurig / enttäuscht (über Verlust)
to be brassed off,	genervt sein
to be wound up	
to be at the end of your tether	total gestresst/ genervt sein
to be at your wits ends	mit den Nerven am Ende sein
to be narky, to sulk	schlecht gelaunt sein / beleidigt sein
to be stroppy	launische Person

fluchen

Für jeden gibt es am Tag mindestens einen Anlass, „Mist" oder „Scheiße" zu sagen. Die folgenden Wörter bedeuten alle eben genau das.

	fuck	Scheiße! /
	flaming heck	Superscheiße!
	fucking hell*	
	bloody hell fire	
	fucking hell fire*	
	shit*, **shite**	
Sodomit	**bugger***	
	bloody Norah	Mist! / Verdammt!
	gosh/dash/damn	
	God damn	
	damn/dash it all	Verdammt nochmal!
	God damn it	
	blooming/	
	flipping heck	
	flaming hell	
	for fuck's sake	
	crikey/blimey	Verdammt! / Ach was!
	Gordon Bennett	
Hoden	**bollocks**	Mist! / Kacke!
Hoden	**balls**	
Nüsse	**nuts**	Mensch!, Verdammt!
	It's the pits/	Mist!
	crap/naff/sugar!	
	lousy, **shitty**	schlecht
	too bad for words	totaler Mist
	piss poor	

bloody awful	beschissen
That's not on!	Kommt nicht in Frage!
(oh) Jesus	ach Gott!
(oh) Jesus Christ	
(oh) Christ	
(oh) God	

Angst haben

to crap yourself/your pants,
to shit yourself/your pants,
to shit a brick/bricks, to have kittens
Angst haben

something gives you the willies /
something gives you the creeps
etwas, das einen nervös oder ängstlich macht

fertig sein

geschunden	**to be knackered /**	K.O. sein
	to be wacked	
struppig	**to be shagged**	geschafft sein
	to be pooped	geschlaucht sein
	to be fucked*	abgefuckt sein
	to be tired out	erschossen sein
	to have had it	die Schnauze voll haben
	to be drained	wie durchgedreht sein
trockengelegt	**to feel like a zombie**	sich gerädert fühlen

ausruhen, pennen

to feel drowsy	**to chill/chill out**
schläfrig sein	nichts tun, ausruhen

to snooze / to have a snooze
ein Nickerchen machen

to veg/veg out	**to have/take a nap**
nichts tun, ausruhen	ein Schläfchen machen

	to hit the sack	ins Bett gehen
40 Mal zwinkern	**forty winks**	schlafen
	to nod off	einknacken
	to doze off	einpennen (vor dem Fernseher etc.)
	to have a kip	pennen
	to zonk out	wegratzen / schnell in tiefen Schlaf fallen
	to sleep like a baby	schlafen wie ein Baby

to sleep like a log
schlafen wie ein Murmeltier

to be in the land of Nod
im Land der Träume sein

to be dead to the world
im Tiefschlaf sein

haven't slept a wink
kein Auge zugemacht haben

sleepyhead
Schlafmütze

I was out like a light.
I was out as soon as I hit the pillow.
Ich war sofort weg.

Glück haben / Pech haben

to be lucky/jammy / to be sporny/flukey
Glück haben

tough / tough luck/apples,
hard cheese/lines / tough shit*
Pech gehabt

to make a balls of something /
to balls something up
verpfuschen, verkehrt machen

45

better luck next time
mehr Glück beim nächsten Mal

third time lucky
beim dritten Mal Glück haben

to put your foot in it
ins Fettnäpfchen treten

Another one bites the dust.
Den Letzten beißen die Hunde.

Life's a bitch.
Das Leben ist eins der härtesten.

A person's got to face the music.
sich mit der Wahrheit abfinden müssen

verspotten

Bei den Engländern ist es sehr beliebt, den Gesprächspartner auf den Arm zu nehmen, um zu testen, ob er Humor hat. Hat man diesen Test bestanden und ist man in der Lage, über sich selbst zu lachen und zu kontern, hat man schon eine große Hürde genommen.

to take the piss out of someone, to take someone for a ride, to rip someone off
jemanden verarschen

to take the mickey out of someone, to have someone on
jemanden auf den Arm nehmen

to make fun of someone
sich über jemanden lustig machen

to get at someone
jemanden ärgern, anmachen

to pick on someone
jemanden veralbern

to slag someone off, **to bitch about someone**,
to badmouth somebody
über jemanden lästern

to be on someone's case
jemanden nicht in Ruhe lassen

to be sarcky
sarkastisch sein

Schnell!

Chop chop!, **Hurry up!**	Beeil dich!
Step on it!,	
Get your skates on!	
Move yourself!,	Beweg dich!
Get going!	
Get moving!,	Mach zu!
Get a move on!	
Move your arse*!	Beweg deinen Arsch!
Get your arse into gear*!	Setz deinen Arsch in Bewegung!
Put your foot down!	Gib Gas!

Pull your finger out!	Drück auf die Tube!
to make a bee-line for s.th.	schnell/direkt auf etwas zugehen
to go like the clappers	sehr schnell gehen

Halt die Klappe!

	Shut your mouth/face!
Schleimklumpen	**Shut your gob!**
Falle	**Shut your trap!**
Käseloch	**Shut your cheese-hole!**
knöpfen	**Button it!**
Reißverschluß	**Zip up!**

Hau ab!

Get lost! / Beat it! / Get stuffed!
Verschwinde! / Verzieh dich!

Buzz/shove/push off!
Zieh Leine! / Zisch ab!

Scram! / Drop dead!	Hau ab!
On your bike!	Ab mit dir!
Don't bug me!	Geh mir nicht auf den Geist!
Get out of my sight!	Verschwinde aus
Get off my back!	meinem Blickfeld!
You get up my nose!	Du gehst mir auf die Nerven!
You get on my tits!	Du gehst mir auf den Geist!

Give up/over!
Hör auf!

Put a sock in it! / Lay off! / Give it a rest!
Halt die Klappe! / Hör auf!

Go and screw*! / Fuck* yourself!
Hau ab! / Fick dich ins Knie!

Bugger off!* / Piss off!*
Verpiss dich!

Fuck off!*
Verpiss dich! / Fick dich selbst!

Streit, Gewalt

to get someone told,
to put someone in their place
jemandem sagen, was Sache ist

to lecture someone, **to preach someone**
jemandem eine Predigt halten

to tell someone off
jemanden ausschimpfen

to get a rollicking
ausgeschimpft werden

to give someone a bollocking
jemanden zusammenstauchen

to put your foot down
etwas nicht zulassen

to grill someone
jemanden ausfragen

to fall out with someone
mit jemandem Krach haben

Pull your socks up!	Reiß dich zusammen!
aggro	Aufstand, Terz
a barney/argy-bargy	Streit
a scrap	Schlägerei
to smack, to bash	schlagen, prügeln

to wallop someone, **to slap someone**
jemanden schlagen

to whack someone, **to flatten someone**
jemanden verprügeln

to punch someone
jemandem einen Kinnhaken verpassen

to smash someone's head in
jemandem den Kopf einschlagen

to beat someone's brain out
jemanden tierisch verprügeln

to beat someone up, **to thump someone**,
to hammer someone
jemanden zusammenschlagen

to kick the shit out of someone*
jemanden halbtot schlagen

to bump someone off
jemanden umbringen

to get the rap
die Schuld kriegen

to be scared out of your wits
furchtbare Angst haben

granny basher
einer, der alte Frauen überfällt

paki basher
einer, der Asiaten (vor allem Pakistani)
verprügelt

queer basher
einer, der Schwule verprügelt

weinen

to sob, to boo	heulen
to cry your eyes out	sich die Augen ausweinen
to cry your heart out	sich die Seele aus dem Leib heulen
to pour your heart out to someone	jmd. seine Sorgen erzählen
snot-rag/hankie	Taschentuch

Gefängnis

to be bent	unehrlich sein
to nick something, **to pinch something**	etwas klauen
to hit and run	jemanden überfahren und weiterfahren
to get nicked	gegriffen (verhaftet) werden
to get done	verurteilt werden
to get sent down	ins Gefängnis müssen
to do time, **to do porridge**	seine Zeit absitzen

to be behind bars/in stir/banged up
hinter Schloss und Riegel sitzen

to dodge the law
dem Gesetz entweichen

the Old Bill, **the boys in blue**
die Polizei

cop-shop	Polizeiwache	
the pigs / the cops	die Bullen	
slammer (to slam)	Knast	*Tür zuknallen*
nick	Bau	*Kerbholz*
cell	Zelle	
bail	Kaution	
bracelets	Handschellen	*Armreifen*

sterben

to snuff it   *Kerze ausblasen*
ins Gras beißen

pushing up the daisies   *Gänseblümchen*
die Radieschen von unten betrachten

to kick the bucket	den Löffel abgeben	
to pop off,	abkratzen	
to pass away		
to drop dead	unerwartet sterben	
dead as a dodo,	mausetot	*ausgestorbene Vogelart*
dead as a doornail		

Körperliches

dwarf/midget/ titch/shorty	Zwerg, Knirps, Winzling
dumpy	klein und dick
plump, chubby	mollig, pummelig
to be on the chubby side	etwas pummelig sein
to have a few spare tires	Fettrollen haben
meaty, stocky	kräftig gebaut, fett
dumpling	Kloß, Pummel
porkie, porker	Dickwanst
fatso / lard-arse	Fettwanst / Fettarsch
cuddly	knuddelig
built like a brick shithouse*	groß und muskulös fett und wenig Hirn
lanky	Lulatsch
skinny, scrawny, puney	mager, dünn
scraggy	dürr, knochig
thin as a rake	Bohnenstange
built like a matchstick	dünn wie ein Streichholz
to be knockkneed	X-Beine haben
to be bowlegged	O-Beine haben
a wimp	Schwächling
to be the dead ringer for s.o./ to be the spitting image of s.o./ to be the double of s.o.	genauso wie jemand anders aussehen
lookalike	Doppelgänger

Smart & arse

Schimpfwörter & Beleidigungen

Eine ganze Reihe der folgenden Schimpfwörter müssen - in der entsprechenden Umgebung und gegenüber Freunden gebraucht - unter Umständen nicht beleidigend wirken. So, wie man auch bei uns einen guten Kumpel mit „Na, du alter Penner!" begrüßen könnte. Der Ton macht die Musik. Trotzdem, besser nicht in den Mund nehmen.

show-off	Aufschneider
poser	Angeber
loudmouth	Großmaul
butch	Macho
clever clogs	Besserwisser
smart-arse*, **clever dick**	Klugscheißer
do gooder	Streber
goody-goody	Musterknabe
boffin, **swat**	Streber, hochintelligente Person
to be full of him-/ herself	eingebildet sein
selfcentred	egoistisch
stuck-up, **snooty**	hochnäsig
toffee-nosed	eingebildet
snobby	snobistisch
yuppy	junger Professioneller
romeo	Casanova

yuppy = young urban professional

jack the lad	Hallodri
womanizer	Frauenaufreißer
he thinks he is	einer, der denkt er
God's gift to women	könne jede haben
sweet / smooth talker	Schmeichler
big-mouth	Großmaul
square, **bore**	Langweiler
party pooper	Spielverderber
bully	einer, der rum-kommandiert
bossy	herrisch
cocky	arrogant
to be over the top	übertrieben sein in Klamotten / Art
to have a chip on your shoulder	Komplexe haben u. verbittert sein
tosser, **wanker***	Wichser
pain in the neck pain in the backside/ arse*	extrem nervender Typ
to get on s.o.'s nerves	jemandem auf die Nerven gehen
to be pushy	aufdringlich sein
shithead*	Blödmann, Scheißkerl
arsehole*, **dickhead***	Arschloch
sod	Arschloch, Saukerl
arse-licker	Kriecher
scum, **scumbag**	Abschaum, gemeine Person
poisoned dwarf	kleine gemeine, gehässige Person
wally, **nitwit**, **thickie**	Dummkopf

prick*	Blödmann
pratt	Knallkopf
dope	Depp
nerd	Heini, Depp, total unmodisch
twit, **twerp**	Doofie
pillock, **plonker**, **twat**, **wazzock**	Idiot
drip	dämlich
wet	blöde
to be as daft as a brush	dumm wie Bohnenstroh sein
to be as blind as a bat	blind wie eine Fledermaus sein
to be a sad case	daneben/unmodisch/blöd sein
to be a sad bastard	
to be two cans short of a six pack	etwas dumm sein
thick as pigshit, **thick as two short planks**	total dumm
dippy, **dizzy**	etwas dämlich / durcheinander sein

	Frauen
wench, scrubber	Weib
airhead	dumme Frau
dumb blonde	dummes Blondinchen
bimbo	dumme aufgemotzte Blondine
blonde bombshell	sehr hübsche Blonde
page 3 girl	Oben-ohne-Modell in Zeitungen
slag *(Schlacke)*, bike	eine, die es mit jedem macht
easy lay	eine, die man leicht 'rumkriegt
hussy, slut*	Flittchen, Schlampe
tart* *(Torte)*	Hure
cheap *(billig)*, common	ordinär
to be a good ride	gut im Bett sein
to be stunning, a stunner	wunderschön sein, eine fesche Mieze

Schwule

poofter, **poof**, **bender**, **nancy**, **faggot / fag**, **uphill gardener** **wooly woofter**, **queer**, **queen**, **mincing queen**, **arse-bandit**, **fairy** (Verzauberter)	Schwuler
bummer*	Arschficker
pansy	Tunte
camp	tuntig
lesbian / les, **dike**, **lemon**	Lesbe
women in comfortable shoes	Lesben

Leute

crumblies, **wrinkly**	alte Leute, alte Person	crumblies = *krümelig*
old bag, **old bat**	Alte	
old fogey, **old biddy**, **old cow**	alter Knacker, alte Vogelscheuche	
my old man	mein Vater, Ehemann	
nipper	kleines Kind	
number one	ich	

Volksgruppen

Überall auf der Welt werden Ausländer, Randgruppen u. ä. mit abwertenden Bezeichnungen belegt. Das ist auch (oder gerade in Großbritannien) nicht anders. Alle folgenden Ausdrücke sind sehr beleidigend, man sollte sie also nicht verwenden:

brummies	aus Birmingham
Essex girls	Mädchen aus Essex (werden in Witzen als doof und ordinär dargestellt)
scousers, scally	Liverpooler
cockneys	Londoner
mancs	aus Manchester
geordies	aus Nordostengland

paddies	Iren
jimmies	Schotten
taffies	Waliser
yanks, **yankees**	Amerikaner
slit-eyes, **slant-eyes**	Asiaten
chinkies	Chinesen
krauts	Deutsche
frogs	Franzosen
wops	Italiener
japs	Japaner
spiks	Lateinamerikaner
pakis	Pakistaner
commies	Kommunisten
jungle-bunny, **spearchucker**, **wog**, **nigger**, **coon**	Schwarzer
dagos	Spanier

Dressed to kill

Zwischengeschlechtliches

Das ist natürlich ein höchst interessantes Gebiet. Und wie bei allem, was tabuisiert, anrüchig oder auch nur pikant ist, gibt es hier eine wahre Fundgrube von Slang- und Szene-Ausdrücken. Der Witz bei der Sache ist natürlich, dass man nicht jeden Ausdruck in jeder Situation anwenden kann und vor allen Dingen nicht unbedingt gegenüber dem anderen Geschlecht.

Einige Ausdrücke sind recht zotig und nicht unbedingt zum Gebrauch gedacht. In der deutschen Übersetzung habe ich versucht, möglichst adäquate Wörter zu finden. Man erschrecke also nicht über vulgäre Ausdrücke!

Die Frau

chick, doll	Mieze, Puppe
lass, bird	Mädchen
bit of skirt, bit of crumpet, bit of fluff	hübsches Mädchen

Der Mann

bloke, fella, geezer	Kerl, Typ
lad, chap, guy	

stud = *Casanova*

ER zu IHR (Kosenamen)

duck *Ente*, **chicken** *Hühnchen*, **petal** *Blütenblatt*, **love** *Liebe*, **darling** *Liebling*, **pet** *Schoßhund* Liebling, Schätzchen, **sunshine** *Sonnenschein* Spätzchen, **treasure** *Schatz*, **sweetheart**, **honey**, **sweetiepie**

Allgemeines zum wichtigen Thema

to chat someone up
jemanden anquatschen

to make a pass at someone
jemanden anmachen

to make eyes at someone,
to eye someone up
jemandem schöne Augen machen

to droole over someone
jemanden, auf den man scharf ist, anstarren

to fancy someone
jemanden besonders mögen

to have the hots for someone, to fancy the
pants of someone, to have a crush on s.o.
auf jemanden scharf sein

to be forward
sich ranmachen

to make bedroom eyes
jdn. provokativ anschauen

to pick someone up
jemanden kennenlernen

sexpot, sex-bomb
sexy Person

to have a lump in your throat
einen Kloß im Hals haben

to ditch/dump someone
mit jdm. Schluss machen

like a cat on hot bricks
nervös sein

to go wobbly at the knees, to go to jelly
aufgeregt sein, wenn man jemanden sieht,
auf den man scharf ist

to pull yourself together
sich zusammenreißen
Two's company, **three's a crowd.**
Drei sind einer zuviel.
She's lovey dovey.
Die ist süß, verkitscht, romantisch.

She's soppy.
Sie ist überlieb und romantisch.

He / she's fit.
Er / sie sieht gut aus.

He's a hunk.
Er sieht männlich aus.

He's raunchy.
Er ist attraktiv, sexy.

to go out with someone
feste Bekanntschaft haben

to fall for someone
sich verlieben

He / she makes you melt.
Er / sie bringt dich zum Schmelzen.

a one night stand
Affäre für eine Nacht

to smooch
eng tanzen oder knutschen

just for kick
nur zum Spaß

just for the hell of it
nur mal so

to pick someone up
jemanden abschleppen

to stand someone up
jemanden versetzen

to use someone
jemanden ausnutzen

Absence makes the heart grow fonder.
Trennung vergrößert die Liebe.

Out of sight is out of mind.
Aus dem Auge, aus dem Sinn.

sugar daddy — toyboy
älterer, reicher Liebhaber —
jüngerer Liebhaber

to be under the thumb
= *unter'm Pantoffel sein*
someone's other half
= *die andere Hälfte (Partner)*

So, und nun zu den für diese Art Vergnügen wichtigen Körperteile. Die in Klammern angegebene wörtliche Übersetzung (falls möglich) gibt ansatzweise Aufschluss über den jeweiligen Sprachlevel.

Körperteile

bottom (*Unterseite*)	Po, Hintern,
bum (*Hintern*)	Arsch
seat (*Sitz*)	
rear (*Hinterteil*)	
backside (*Hinterseite*)	
arse* (*Arsch*)	
buttock	Po-Backe

dick (*Dieter*)	Penis,
cock (*Hahn*)	Pimmel,
tool (*Werkzeug*)	Schwanz
prick (*Stachel*)	
willie (*Wilhelm*)	
knob (*Beule*), **percy**	
thing (*Ding*)	
rod (*Rute*)	
plonker, **shlong**	
a wife's best friend	

bollocks, **gonads**	Hoden, Eier
balls (*Kugeln*), **sack**	
nuts (*Nüsse*), **scrote**	
knackers, **goolies**	

boobs, **baps**	Busen, Brüste
melons (*Melonen*)	Titten
jugs (*Krüge*)	
knockers (*Schläger*)	
coconuts (*Kokosnüsse*)	
bust (*Büste*)	
breasts (*Brüste*)	
well stacked (*gut ausgerüstet*)	
tits* (*Titten*)	

fanny, **beaver**	Vagina,
pussy (*Muschi*)	Muschi, Möse
crotch (*Gabelung*)	
clit (*Klitoris*)	
twat (*Fotze*)	
cunt** (*Fotze*)	
furry purse	
cunny, **vag**	

Vorspiel

foreplay	Vorspiel
to be in the mood	in Stimmung sein
to be horny,	geil sein
to be randy / turned on,	
to feel fruity	
snogging, **to canoodle**	knutschen
necking, **nookie**	'rummachen
french kiss	Zungenkuss
to have a hard on,	eine Latte haben
to have a stonker,	
to have a boner	

brewer's droop	zu besoffen sein, um einen hochzukriegen
johnny, **durex**, **rubber**	Kondom
prick-teaser (*Pimmelquäler*)	eine Frau, d. Männer scharfmacht und dann nicht will
cradle-snatcher	einer, der mit einer viel jüngeren Person zusammen ist
to be in the nude, **to be stark naked**	nackt sein
to be starkers	Kerl, Typ
to be in your birthday suit	Adamskostüm
nudist	Nudist
skinny dipping	nackt schwimmen

Nudism = *FKK*

bumsen

to screw (*schrauben*),
to bonk, **to hump**, **banging**
to shag (*struppig machen*)
to have, **to do it** (*es machen*)
to have a jump
to have a knee-trembler(*Knie-Zittern*)
to get laid (*gelegt werden*)
to romp (*umhertollen*)
to go all the way
to rattle bones
to fuck** (*ficken*)
to come (*Orgasmus haben*)
to fake it (*so tun als ob*)
to have a handy (*Hand anlegen*)

Spezialitäten

blow job, **to suck off**,	Oralverkehr
to go down on someone	(was sie macht)
to lick her out,	Oralverkehr
to steam clean	(was er macht)
sixtyniner, **cunnilingus**	Oralverkehr (beide)

kinky	etwas pervers
to be in drag	sich als Frau verkleiden
bondage, **S & M**	mit Fesseln
(*Sadomasochismus*)	

pimp	Zuhälter
red light district	Nuttenviertel
tart, **whore**, **prosy**	Nutte
on the game	auf dem Strich

und dann ...

to have a bun in the oven,	schwanger sein
to be in the club,	
knocked up, **to be preggy**	

to shack up with someone
mit jemandem zusammenziehen
to pop the question
Heiratsantrag machen
hen night
Polterabend für Frauen
stag night
Polterabend für Männer

to get wed, to tie the knot	
heiraten	
to walk down the aisle	
kirchlich heiraten	
honeymoon	
Flitterwochen	
her indoors / hubby	
Ehefrau / Ehemann	
to be under the thumb	
unter'm Pantoffel sein	
to be henpecked	
von der Frau rumkommandiert werden	
to drop a sprog	
ein Kind bekommen, entbinden	

Alleine?

to toss off (*Reiter abwerfen*)
to wank (*wichsen*)
five finger shuffle (*5-Finger-Mischen*)
to pull your plonker (*am Pimmel ziehen*)
to play with yourself
to get hitched

Literaturempfehlungen

Sprachbuch Großbritannien/Irland
von Emer O'Sullivan und Dietmar Rösler, Rowohlt. Lesetexte und Comics aus dem Alltag. (Gut als Ergänzung geeignet.)

Talk one's head off
von C. H. Wacker und H.-G. Heuber, Rowohlt. Englische Redewendungen und ihre deutschen Entsprechungen.

Modern Talking
von Emer O'Sullivan und Dietmar Rösler, Rowohlt. Englisches Quasselbuch mit Sprüchen und Widersprüchen.

Englisch, wie es nicht im Wörterbuch steht
von Arthur Steiner, Bastei.

PONS Kompaktwörterbuch Englisch-Deutsch/Deutsch-Englisch. Es bietet für weniger als DM 40,- auf über 1.300 Seiten ca. 100.000 Stichwörter und Wendungen.

PONS Cambridge International Dictionary of English
Ein einsprachiges Wörterbuch mit ca. 50.000 Stichwörtern und ebenso vielen Idiomen.

Wortliste

*A*uf den folgenden Seiten findet man ein alphabetisch geordnetes Verzeichnis der meisten Begriffe, die in diesem Buch vorkommen. Hinter jedem Ausdruck steht die Seitenzahl, auf der der Ausdruck mit diesem Wort zu finden ist.

Bottoms 19
Bounce 15, 19
Bowlegged 54
Boys 53
Bracelets 53
Brass 12, 15
Brassed 41
Break 30
Breasts 67
Brew 18
Brew up 18
Brewer's droop 68
Brewery 21
Brick 43, 54
Bricks 43, 63
Brill 39
Brilliant 39
Broke 15
Brolly 14
Brouse 36
Brummies 60
Brush 57
Bubbly 21
Bucket 13, 22, 53
Bug 48
Bugger 42, 49
Bully 56
bum 66
Bummer* 59
Bump 51
Bun 69
Burp 30
Bursting 30
Bush 33
Bust 67
Butch 55
Butt-end 25
Buttock 66
Button 48
Butty 17
Buzz 26, 29, 48

C

Cake 40
Camp 59
Cancer 25
Canned 21
Canoodle 67
Cans 57
Case 32, 47, 57
Cash 15, 16
Cats 12
Catsuit 19
Cell 53
Chain 25
Chalk 37
Chap 61
Chase 26
Chaser 21
Chat 32, 62
Chatterbox 33
Cheap 16, 58
Cheapskate 15
Cheese 45
Cheese-hole 48
Cheesed 41
Chick 61
Chicken 62
Chil 44
Chimney 25
Chinkies 60
Chinwag 32
Chip 56
Chippy 17
Chips 9
Chubby 54
Chucking 13
Chuffed 39
chunder 24
Cig 25
Ciggy 25
Circles 33

Clappers 48
Classic 39
Clever 55
Clit 67
Clogs 55
Cloud 12, 39
Clue 37
Cobblers 37
Cock 66
Cockneys 60
Cocky 56
Coconuts 67
Codswallop 37
Coke 25
Colli 17
Colour 24
Come 68
Commies 60
Company 63
Cooker 11
Coon 60
Coppers 15
Cops 53
Corporation 18
Coventry 34
Cow 59
Crack 25
Crackers 31
Crackpot 32
Cradle-snatcher 68
Crap 42, 30
Crash 25
Crawling 19
Cred 41
Creeps 43
Crikey 42
Crotch 67
Crowd 41
Crumblies 59
Crumpet 61
Crush 62

Kidding 36
Killer 40
Kinky 69
Kip 44
Kite 26
Kittens 43
Kitty 15
Knackered 44
Knackers 66
Knee-trembler 68
Knees 40, 63
Knob 66
Knock-out 40
Knocked 69
Knockers 67
Knockkneed 54
Knot 70
Krankie 31
Krauts 60

L

Lad 56, 61
Lager 20
Laid 68
Lanky 54
Lard-arse 54
Lass 61
Late 27
Laugh 40
Laughter 24
Law 53
Leak 30
Lecture 50
Legless 23
Lemon 59
Les 59
Let 19, 30
Lick 69
Lime 21

Lines 45
Liqueur 21
Loaded 15
Loads 15
Local 19
Log 44
Lolly 14
Loo 30
Look 36
Lookalike 54
Looney 32
Loose 31
Lost 31, 48
Loudmouth 55
Lousy 42
Lovey 63
Low 10, 20
Lump 63
Luv 11

M

Mac 14
Mad 31
Man 59
Mancs 60
Marbles 31
Marvellous 40
Mash 17
Matchstick 54
Matinee 27
Measure 21
Meaty 54
Melons 67
Mickey 46
Midget 54
Mincing 59
Mind 23, 39
Money 15
Monkey 12

Mood 67
Moon 39
Mouth 33, 48
Move 47
Mumble 32
Mutter 32

N

Naff 16, 42
Nag 34
Nancy 59
Nap 44
Narked 41
Narky 41
Nasty 16
Natter 32
Navel 32
Neck 22, 56
Necking 67
Nerd 57
Nerves 56
Newt 23
Nick 52
Nicked 52
Nigger 60
Nip 12, 36
Nipper 59
Nod 44
Nookie 67
Nope 37
Norah 42
Nose 48
Nosh 17
Nude 68, 68
Number 59
Nut-house 32
Nut-job 32
Nuts 26, 31, 42, 66
Nutter 32

Die Autorin

Geboren wurde **Veronica Sierra-Naughton** am 30.3.1970 in Bogotá (Kolumbien) als Tochter eines kolumbianischen Vaters und einer englischen Mutter.

Mit ihrer Familie zog sie viel zwischen Kolumbien, England und Deutschland hin und her, bevor sie schließlich in Halifax, England, ihr Abitur machte. Englisch war die Sprache, die sie tagtäglich, nämlich zu Hause, sprach. Aber nicht nur durch den „Hausgebrauch" der englischen Sprache, sondern besonders durch den Aufenthalt in England wurde sie mit dem britischen Slang vertraut. Sie lebt jetzt in England und studierte dort „International Office Management" in Buckinghamshire.